한 학기를 끝마치고

인생의 다음 장 한복판으로 가기 전

입장권처럼 읽기 좋은 책

1

한 학기를 끝마치고 인생의 다음 장 한복판으로 가기 전

입장권처럼 읽기 좋은 책 1

발 행 | 2023년 6월 26일

엮은이 | 이주영(겨울화원)

펴낸이 | 한건희

펴낸곳 | 주식회사 부크크

출판사등록 | 2014.07.15.(제2014-16호)

주 소 | 서울특별시 금천구 가산디지털1로 119

SK트윈타워 A동 305호

전 화 | 1670-8316

이메일 | info@bookk.co.kr

ISBN | 979-11-410-3314-9

www.bookk.co.kr

한 학기 한 권 읽기 1

한 학기를 끝마치고 인생의 다음 장 한복판으로 가기 전 입장권처럼 좋은 책

이주영(겨울화원) 엮음

목차

머리말

이 책은 지금으로부터 길게는 100년, 짧게는 약 70년이 된 한국 산문·운문 12편을 엮은 것입니다. 이 12편은 공유마당 사이트에서 다운로드 순으로 만료저작물을 정렬하였을 때 가장 다운로드 횟수가 높은 것부터 제가 차례대로 총 1,680편째 글까지 살펴보면서, 그중 3학년 1학기 또는 2학기를 마무리하는 시점의 학생에게 생각거리 또는 여운을 줄 수 있겠다 싶은 것을 적절히 추린 목록입니다.

선생님, 부모님 또는 형, 누나, 언니, 오빠 등 주변 어른이 해당 시기의 학생과 함께 소리 내어가며 읽어도 좋고, 학생이 혼자서 마음을 고요히 할 수 있으며 시간에 쫓기지 않는 잠깐의 여유마다 하나씩 읽어봐도 좋습니다.

그리고 각 글의 제목 위에는 작품 연대를 밝혀 놓았습니다. 동영상 파일을 되감기 버튼을 눌러

역재생하듯, 머릿속에 해당 연대의 모습을 그려보길 권합니다. 각자 지금 발을 딛고 서 있는 지역의 현재 모습에서부터 출발해 보세요.

저는 제가 있는 오피스텔에서 여의도 그리고 그 너머 한강 북쪽의 갖가지 고층 빌딩과 멀리 남산 서울타워가 보입니다. 이제 이 풍경을 되감아 봅니다. 마천루들이 하나하나 철골로, 터로 되돌아가며 가려져 있던 남산 능성이가 더 드러나고, 한강을 가로지르는 다리들이 뼈대만, 기둥만 남았다가 이내 사라집니다. 오늘날의 자동차와 배, 사람들이 빠르게 뒷걸음질하며 자취를 감추고, 그 자리를 2000년대, 1990년대, 80년대, 70년대 차와 배, 사람들로 채워졌다가 뒷걸음질로 사라지기를 여러 차례 …… 이윽고 1920~50년대에 도달해 비로소 [되감기]를 멈추고, [재생]을 누릅니다. 굴뚝으로 증기를 내뿜는 배와 드문드문 있는 근대식 건물들, 휑한 터와 흙먼지 날리는 길이 더 많이 보이는 드넓은 서울의 땅과 강 그리고 그 시대 사람들이 뒷걸음질을 중단하고 잠깐 멈춰 있다가, 이내 정상적으로 움직이기 시작합니다. 이제 여러분은 그 시간에서 저마다 다른 삶을 살아 움직이며 겪어나가고 있는 이들이 쓴 글을 마주할 수 있습니다.

아무쪼록 이 책이, 한 학기를 끝마치고 인생의 다음 장 한복판으로 풍덩 뛰어들기 전, 여러분이 자신의 일상을 가다듬게 해 주는 책이 되길 희망합니다. 그리고 여러분 각자가 인생의 다음 장으로 엉겁결에 떠밀리거나 휩쓸려가면서 '살아가져 버리기'보다는 마치 입장권을 내밀고 당당하게 입구를 걸어 들어가는 사람처럼 '살아나갈 수 있게' 하는 데 도움이 되는 책이 되길 희망합니다.

끝으로, 각 글에 대해 학생 눈높이의 사색 초점을 맺음말에서 밝혀두었으니 필요하다면 참조해도 좋습니다. 당신 그리고 당신의 삶을 응원합니다.

2023년 6월 25일, 이주영

1937년 시

무얼 먹고 사나

윤동주

바닷가 사람
물고기 잡아먹고 살고

산골엣 사람
감자 구워 먹고 살고

별나라 사람
무얼 먹고 사나.

1956년 수필

나의 생활 태도 - 남의 척도로는 살기 싫다

변영로

몇 번이나 편집자의 청탁을 받고도 잊어버리고, 잊어버리곤 하였다. 도대체로 부탁받은 글이 쓰고 싶지 않은 것이 주원인이었다. 나더러 <생활 노트>를 쓰라니, '내게 무슨 생활다운 생활이 있었나?'가 우선 입맛을 젖히게 하는 것이었다.

내세울 것이란 아무것도 없고, 더군다나 자랑거리라곤 씻은 듯 없다. 그렇다고 참회할 지경으로 저지른 죄악마저도 없다. 동시에 마음 느긋한 행운도 없었고, 못 배길 정도의 역경도 없었다. 빈한한 가정에 삼 형제 중 막내로 태어나서 이렇다 할 파란이나 기복 없는 무색 단조한 그날그날을 보낸 것이 나의 소년 시대에 관한 우울한 기억인 바였다. 나는 무미건조함이 싫고, 평범함이 싫었으며,

안온함도 싫었다. 그러나 나를 둘러싼 모든 형편은 그 모든 싫은 것이 나에게 강요되고 있는 바였다! 이로부터 아직 반항까지는 아니라고 한데도 모든 것에 대한 반발심 정도는 싹튼 것이다. 어른들의 타이르는 말이 내 귀에는 모두 구속으로만 들리어서 '저런 말들을 다 따르다간 무엇이 될꼬?' 하는 의아심이 드는 것이었다. 따라서 비위를 건드리는 사람은 적이요, 성미를 맞추어주는 사람은 둘도 없는 벗이었다.

그리하여 자연히 아버지나 어머니보다는 할머니(할아버지는 내가 7살 때 돌아가시었음)를 나는 좋아하고 따랐다. 언제든지 나는 할머니 쪽이요, 할머니는 내 편이었다. 말하자면 조손간의 동맹이었다고나 할까! 이 까닭으로 가끔 집 안에는 평화가 유지 못 되는 작은 풍파가 있기도 했다. 할머니는 틈틈이 술도 주시고 맛있는 것이 생길 때는 주섬주섬 감추어 두셨다가 나를 먹여주시곤 하는 것이었다. 할머니가 버릇 나빠지게 날 키운 것일

는지 몰라도, 이렇든 저렇든 나는 모든 일을 내가 내키는 대로 하거나 말거나 하는 식이었었다.

나는 무엇보다도 학교에 다니기가 싫었다. 그러나 학교는 할머니까지도 내 편을 들어주지 않고 합세한 강압 하에 하는 수 없이 관립 재동소학교를 짜증 내며 다니었다. 다닌 지 1년도 채 못 되어서 일본인이 교사로 온다고 하여 "공부를 못 하면 못 하였지, 왜놈한테야 배운단 말이냐."라는 앙큼한 생각으로 뛰쳐나와 현 계동 막바지에 있던 계산보통학교로 옮겼다. 물론 왜놈에 대한 증오심은 어른들의 말을 들어서 품게 된 것이다. 그때 당시 선생님들은 이제 와선 한 분도 남으신 분 없이 다 돌아가시고, 학우들도 태반 이상이 고인이 되었는데 유억겸(兪億兼) 군도 그중의 하나이다. 나는 계산학교를 졸업하고 당시 원동에 있던 육군유년학교(당시 교장 노백린)에 입학하러 갔었다. 무슨 까닭으로서인지 나는 어렸을 때 군인이 되고 싶어 했기 때문이었다. 그러나 "너는 나이가 너무

어리니 몇 해 뒤에 오너라"라는 교관의 일언지하 속에 보기 좋게 퇴짜를 당하였다. 그러고 나서 어린 마음에도 무한한 불평을 품고 입학한 곳이 기호학교의 후신이요, 중앙고등보통학교의 전신인 중앙학교였다.

당시 중앙학교는 3년제였고 교장은 윤일선 박사의 부친이요, 한국 정부 학무국장이던 분이셨다. 고(故) 주시경 선생님도 나의 은사 중 한 분이시었다. 우스갯소리 삼아 재학 당시 나의 불량성의 한 토막을 적으려 한다. 나는 무엇보다도 체조가 싫었다. 제 풀대로 하는 운동은 좋았지만, 떼를 지어서 하는 것은 쑥스럽고 창피한 생각이 들어서 막무가내였다.

- 기준!

- 우로 나란히!

- 번호!

- 우향우! 좌향좌!

- 제자리걸음! 뛰걸음!

따위가 참으로 아무렇지 않은 것처럼 할 수 없는 노릇이었다. 체조 시간만 닥치면 교실에 딱 혼자 쳐져서 골치를 잡고 앉았었다. 하루는 체조 담당인 이기동 선생님이 성난 얼굴빛으로 교실에 들어와서,

"너 왜 체조하러 나오지 않느냐?"

"아파서요."

"무슨 병이 체조 시간에만 나느냐?"

"저도 모릅니다."

"체조를 안 하려거든 다른 학생들이나 하게 철봉 밑에 고운 모래라도 갖다가 부어 놓아라."

"그럴 기운이 있으면 체조를 하게요."

선생님은 화가 치밀대로 치밀어서 나의 뺨을 갈기는 것이었다.

"때리기는 왜 때리오? 더군다나 병든 환자를 때리는 데가 어디 있소?"

하고 나는 반항이랄까, 발악이랄까, 그렇게 하고서는 다짜고짜로 집에 갔다.

집에 돌아가서도 누구에게 보고나 하소연할 길 없어 나는 곰곰이 생각한 나머지 사랑방에서 아버지의 서랍장을 열고 돈을 얼마 훔쳐서는 그길로 막차를 타고 만주 안동현으로 달아나버렸다. 내가 저질러놓은 일이 갈데없이 퇴학을 맞게 된 터이니 만큼 차라리 내가 자진 퇴교함이 좋겠다는 결론에 도달했기 때문이었다. 방랑이 끝나고 결국엔 돌아오긴 하였으나, '불량생도'의 낙인이 찍히어 재학하면서 받아왔던 성적이 과히 나쁘지는 않았건만 졸업장은 받기가 영영 틀려버린 것이었다. 그리하여 동문 명부에는 끼이지 못하다가 훨씬 뒷날 중앙고등보통학교의 영어 교원 노릇을 잠시 한 덕분으로 겨우 추천 교우로 끼이게 된 것이다.

이야기가 3, 4년 전으로 뒷걸음질을 하지만, 내 소싯적 에피소드의 1, 2절을 기왕 부르터난 김에 독자의 파적거리로 적어보려 한다. 그 에피소드란 다름이 아니고 이성에 대한 애욕 발로의 첫 시련이다. 12세경으로 기억되는데 당시 내가 살던 맹

현(오늘날 가회동)에서 대상자는 둘이었었다. 하나는 양갓집 규중 아가씨로, 베로나에서 단체가 베아트리체를 보던 모양으로 멀리서만 바라보고 마음을 졸이기만 하였을 뿐 마주 서서 말을 나누어 본 적도 없건만 50년이 가까운 세월이 흘러 오늘에 이르러서도 그때 그 모습이 사라지지를 않는 것이다. 짐작에 그때 그의 나이 나보다 3, 4세 위였으니 그가 그저 어느 곳에 살아 있다던 지금은 60이 넘었을 것이다. 60이 되었던 70이 되었건 나의 마음 한구석에는 15, 6세의 그 애연한 그때 그 모습만이 살아있어 그 숨결을 변함없이 지금도 느끼는 것만 같은 것이다!

그런 아름다운 이미지에 손상이 될지는 모르나, 다른 한 사람은, 역시 나보다 2, 3세 연상이었는데, 한 대장장이 딸로 '무언이'라는 아명을 지닌 이였다. 고귀까지는 몰라도 복성스러운 처자였다. 숭굴숭굴한 점이 몹시도 마음을 끌었다. 천가의 딸이니만큼 집에도 자주 드나들었다. 하루는 소꿉

장난을 걸어 어울렸는데, 아무도 모를 줄 알았더니 어찌 된 셈인지 무언이 아버지가 낌새챈 것이었다. 그는 분할 대로 분하였으나 그때만 하여도 반상의 계급관념이 센 때이었으니만큼 며칠을 꿀꺽꿀꺽 참다가 하룻밤에는 술이 잔뜩 취하여 우리 집 대문 앞에 와서

"이놈 영복(나의 아명)아! 이리 나오너라! 내가 네 해골을 깨뜨려 그걸로 술을 한 잔 더 마셔야겠다!"

라고 고래고래 한 적도 있었다. 이만하면 나의 어렸을 때 행색이 어땠을 것을 독자는 상상할 것이다.

부질없는 이야기는 그만하고 이제는 본제로 돌아가려 한다. 나는 이제 나이 60이 다 되어 가면서도 생활이나 생활 태도에 별다른 변화가 없는 것이다. 세 살 때 버릇이 여든까지 간다는 속담대로 나의 현재 생활은 그저 그대로 소년 시대의 연장인 상태이다. 매사에 내가 내키는 대로 행하는

습성이라든지, 그다지 내키지 않으면 이로운데도 피하고, 이로울 것 하나 없다는 게 환히 보이는 노릇도 굳이 저지르고야 마는 고집이라든지, 극단적인 내면 심리와 지나친 발산으로 조절 불능의 자기분열을 초래하는 기질 등으로 하여 현실에서 괴리되고 배치되는 생활……. 이런 것들이 실은 내가 바라는 바가 아님을 느끼면서도 계속 이렇게 사는 것이다. 그런데다가 고질적인 특유의 자존성으로 인해서 양보보다는 숫제 포기를 택하였고, 영합보다는 달게 '결렬'을 취하였으며, 타협보다는 차라리 '고립'을 원하는 것이었다! 백 가지 말보다 하나의 실제로 나는 왜정, 미군정을 거쳐오며 상기한 모든 점을 주제넘은 말로 기꺼이 실천하였다. 무슨 불운에 봉착하고 어떤 곤경에 빠지더라도 마음과 혼의 고귀함만은 지켜내 보려고 최대, 아니 필사의 노력을 쏟아부어 왔던 것이다. 혀를 깨물고라도 처자에게 불의의 밥은 먹이지 않으려나 혼자서만 우는 외로운 싸움을 계속한 것이다.

양보가 미덕으로, 영합이 협동으로, 타협이 화의로 은근슬쩍 위장하는 것이 예사인 시대였다. 때로는 건국이니 구국이니 하는 어마어마한 명목, 명분 아래 뒤로는 여러 이름을 추락시키고, 어부지리를 일삼는 것이었다. 소위 해방 후 미군정이 들어서며 영어 마디나 하는 인사들은 천재일우의 기회나 도래한 듯 분주하고 우왕좌왕한 것이었었다. 그제 나도 나 자신의 거취를 결정 못 하여 고민치 아니할 수 없었던 것을 자백 삼아 말하고 싶다. 급변하는 세태에 대처할, 뭔가 조절하는 것이 절대적으로 필요하고, 또 강요되고 있었다. 여러 제안과 뭇 유혹이 마음의 평형 유지까지 방해하고 있었다. 그러나 나는 모든 것을 배격하기로 딱 결정하였다. 군정에 대협력을 한 C군은 나를 'Cooperate Spirit'이 없다고 나무라기도 했다. 그러나 아무리 생각하여 보아도 외인과의 'Cooperation'이란, 상상키 어려운 동시에 나의 성정이나 기질에는 맞출 길이 없었다. 나는 모든 것에 귀를 막고 눈을 감고 지내었다. 두말할 것도 없이 '협조 정신' 없이는 인류사회는 파멸이요, 붕괴이다. 문제는 그 협조 정신 발휘되느냐에 있다. 협조를 그르치는, 뒤따르는 그 파국이야말로 때울 수도 없고, 메울 수도 없는 것이다.

고고한 자존심을 말살하고 남의 척도에 따라 제 표준을 상실하여가며 산다는 것은 일종의 심리적 자살이요, 정신적 매음이다. 끝으로 나의 이런 생활 태도가 자존성과 자존망대(아무런 생각도 없이 함부로 잘난 체함) 같은 관념과는 다른 것임을 덧붙이며 붓을 내려놓는다.

1923년 시

깊고 깊은 언약

김소월

몹쓸은 꿈을 깨어 돌아누을 때,
봄이 와서 멧나물 돌아나올 때,
아름다운 젊은이 앞을 지날 때,
잊어버렸던 듯이 저도 모르게,
얼결에 생각나는 깊고 깊은 언약

1929년 단편소설

나의 어머니

백신애

1

××청년회 회관을 건축하기 위하여 회원끼리 소인극(전문 배우가 아닌 사람들이 하는 연극)을 하게 되었다. 문예부를 책임지고 있는 나는 이번 연극에도 물론 책임을 지지 않을 수가 없게 되었다.

시골인 만큼 여배우가 끼면 인기를 많이 끌 수가 있다고들 생각한 청년회 간부들은 여자인 내가 연극에 대한 책임을 질 것 같으면 다른 여자들 끌어내기가 편리하다고 기어이 나에게 전 책임을 맡기고야 만다. 그러니 나의 소임은 출연할 여배우를 꾀어 들이는 것이 가장 중한 것이었다.

그러나 아직 트레머리(일제강점기에 신여성의

상징으로 여겨지던 옆으로 틀어 올린 머리. 또는 그런 머리를 한 아녀자)가 4~5인에 불과한 시골이라 아무리 끌어내어도 남정네들과 같이 연극을 하기는 죽기보다 더 부끄러워서 못 하겠다는 둥 또는 해도 관계는 없지만, 부모가 야단할 까닭에 못 하겠다는 둥 온갖 이유가 저마다 많아서 결국 여자라고는 아~무도 출연할 사람이 없이 되고 부득이 남자들끼리 하는 수밖에 없었다. 그래서 우리는 밤이면 밤마다 ××학교 빈 교실을 빌려서 연극 연습을 시작하게 되었다.

연습시키는 나는 이 동네가 아직 예전 그대로의 완고한 시골인 만큼 '보통 사람들에게 비난받지나 않을까……?'하는, 여러 가지로 완고한 시골에서 신여성이 선뜻 취하기 어려운 행동들에 대하여 고려하지 않을 수 없어서 다른 위원들과 같이 여러 번 토론도 하여 보았으나 내가 없으면 연극을 못하게 되는 수밖에 없다는 다른 위원들의 간청도 있어서 나는 끝까지 주저하면서도 끝까지 일을 보는 수밖에 없었다.

오늘은 그 공연을 이틀 앞둔 날이다. 학교 사무실 시계가 11시를 치는 소리를 듣고야 우리는 연습을 그쳤다.

딸자식은 으레 시집갈 때까지 친정에서 먹여주는 것이 예부터 해오던 관습이라면, 나도 아직 시집가지 않은 어머니의 한낱 딸이니 놀고먹어도 아무렇지도 않을 것이언마는, 오빠가 ××사건으로 감옥에 들어가고 보통학교 교원으로 있던 내가 여자 청년회를 조직하였다는 이유로 학교 당국으로부터 하루아침에 권고사직을 당하고 나서는 그대로 할 일이 없으니 부득이 놀 수밖에 없이 되었다. 그래서 날마다 식구가 단출해 얼마 안 걸리는 집안일만 끝내고 나면 우리 어머니의 말씀마따나 빈둥빈둥 놀아댄다. 어떤 때는 회관에도 나가고 또 어떤 때는 가까운 곳으로 다니며 여성 단체를 조직하기에 애를 쓰기도 하고 그렇지 않으면 하루

종일 또는 밤이 새도록 책상 앞에서 책과 씨름을 하는 것뿐이다. 한 푼도 벌어들이지는 못하지마는 어쩐지 나는 나대로 조금도 놀지 않는 것 같기도 하였다. 그러나 우리 어머니는 종종

"아까운 재주를 놀리기만 하면 어쩌느냐!"고 내가 벌이 없는 것을 한탄하시기도 한다. 벌이하지 않으면 아까운 재주가 쓸데없는 것이라는 것이 우리 어머니의 생각이다. 그러면 나는

"아이고, 바빠 죽겠는데……."

하고 딴청을 들이댄다.

"쓸데없이 남의 일만 하고 다니면서 바쁘기는 무엇이 바빠!"

하며 나를 빈정대신다.

내가 밤낮 남의 일만 하고 다니는지 또는 내 할 일을 내가 하고 다니는지 그것은 둘째로 하고라도, 나의 거동은 언제든지 놀고 있는 것으로만 보이는 것도 무리가 아니라고 생각되었다. 어느 날은 ××에서 '여자 ××회를 발기(發起)하니

와서 도와다오…….'해서 거절할 수 없고, 또 어느 날은 또 ××가 제집이 조용하다니 그곳에도 가서 하려던 얘기를 해 주어야겠고, 어느 날은 또 ××회로 모이는 날이니 내가 빠지면 아니 되고, 동무가 보내준 책이 몇 권씩 있는데 그것도 읽어야겠고, 여러 곳에서 편지가 왔으니 꼭 답을 해 주어야겠고, 이것이 모두 나에게는 못 견딜 만치 바쁘고 모두가 해야만 할 일 같은 생각이 든다. 그러나 한 푼도 수입이 없으니 남의 눈에 내가 날마다 놀기만 하는 것 같이 여겨지는 것이 무리가 아니다. 더욱이 우리 어머니, 어머니에게는…….

2

하루나 이틀이 아니고 몇 해째 자꾸 나 혼자만 바쁘고, 남의 눈에는 아까운 재주를 놀리기만 하며 먹고 사는 행색이 좀 어색하게 생각되지 않을 수가 없었다.

열일곱 살 때부터 교원으로서 얼마 안 되는 월

급이나마 받아서 꼭꼭 어머니 살림에 보태어 드릴 때는 내 마음대로 무슨 일이든지 하고 싶은 대로 했었고, 또 마음으로는 하고 싶어도 그만 참고 있으면 어머니가 척척 다 해 주시기도 했었다. 말하자면 그 시절 어머니는 어떻게든지 내 마음에 맞도록 뭐든 해 주시려고 애를 쓰시던 것이었다.

그러나 이제는 으레 해야 할 말도 하기가 미안하고 아무리 마음에 맞지 않는 것이라도 불평을 말할 수가 없어졌다. 심지어 몸이 아플 때도 어디가 아프다는 말조차 하기가 미안하여진다.

- 병원

- 약값

이것이 연상되는 까닭이다. 그리고 때때로

"사람이 5~6인씩이나 모두 장정의 밥을 먹으면서 1년 내내 한 푼도 벌이라고는 하는 인간이 없구나!" 하시며 어머니의 얼굴이 좋지 않아지면 나는 말할 수 없는 미안스러움과 죄송스러운 감정에 북받치고 만다. 그러면서도 어머니가 너무 심

하게 굴면 어떤 때는

“아이고, 어머니도 내가 벌지 않으면 우리가 굶어 죽는가 봐? 아직은 그래도 먹을 것이 있는데!”

라는 식으로 무정하게 굴어버릴 생각도 난다. 그러나 이 생각도 감옥에 들어 계시는 오빠를 위하여 도로 들여다 놓는다. 사식을 대며(수감 중인 사람에게 먹일 음식을 따로 챙겨 들여보내는 일) 바득바득 애를 쓰는 어머니 모양을 생각하면 그만 가슴이 어두워지고 만다.

오늘도 집으로 돌아오는 길에서

‘대문이 닫혔으면 어떻게 하나. 어머니가 아직 주무시지 않은 걸까!’

하는 걱정과 함께

‘지금 나에게도 무슨 돈이 월급처럼 꼭꼭 나오는 데가 있었으면…….’

하는 엉터리 없는 공상을 하기도 하였다. 가라앉지 않는 뒤숭숭한 가슴으로 조심히 대문을 밀었다. 의외로 대문은 소리 없이 열리었다.

'옳다, 되었다.'

나는 소리 없이 살며시 대문 안에 들어서서 도적놈처럼 안방 동정을 살피었다. 안방에는 등잔불이 꺼질락 말락 하게 낮추어 있었다.

'어머니가 벌써 주무시는구나…….'

하는 반갑고 안심되는 생각에 갑자기 가벼워진 몸으로 가만히 대문을 잠그고 들어서려니까 안방 창문에 거무스름한 어머니 그림자가 마치 지나가는 구름처럼 어른거리더니 재떨이에 담뱃대를 함부로 탁탁 때리는 소리와 함께 긴— 한숨이 들리더니

"아이고, 얘야. 글쎄 지금이 어느 때냐."

하는 어머니의 꾸지람이라기보다는 앓는 소리가 흘러나왔다.

'아이고, 어머니 아직 안 주무셨구나!'

하는 생각이 번뜩하자 나도 떨리는 한숨이 길게 나왔다. 방문 열고 들어가니 어머니는 아직 이불도 펴지 않고 미닫이창 앞에 쪼그리고 앉아서 지금까지 애꿎은 담배만 피우며 나를 기다리신 모양

이다.

무겁던 가슴이 뜨끔하였다. 이러한 경우를 교원을 그만두게 된 후로는 수없이 당하는 것이지만 그래도 그대로 들어가 모르는 척하고 누워 잘 수는 없었다.

그렇다고 내 가슴에 받치어 그대로 엉엉 마음 풀릴 때까지 울지도 못할 것이다.

나는 문턱에 걸치고 들여다보던 반신(半身)을 막 방안에 들여놓으며 어머니 앞에 털컥 주저앉아서 하하 웃었다. 그러나 그 순간 뒤에 나는 울고 싶으리만치 괴로웠다. 내가 바라보는 어머니의 표정은 너무도 침울하였던 까닭이다.

"이런…… 어머니 어디 갔다 오셨어요? 벌써 10시가 되어 오는데……."

나는 12시가 가까워져 오는 것을, 다행히 조금이라도 어머니의 노기를 덜고자 일부러 10시라고 했다.

물끄러미 등잔만 쳐다보던 거칠어진 어머니의

얼굴에 두 눈이 휘둥그레지며

"10시?"

하며 나에게 반문하였다. 나는 또 가슴이 뜨끔하였다.

"10시? 10시가 무엇이냐? 10시? 10시라니! 11시 종 친지가 언제라고……. 벌써 닭 울 때가 되었단다."

나직하게 목을 빼 어안이 막힌다는 듯이 나를 바라보며 핀잔을 주기 시작하였다.

나는 그만 온몸의 피가 뜨거워지는 것 같더니 그 피가 일제히 머리를 향하여 달음질쳐서 올라오는 것 같아서 진작 입이 떨어지지를 않았다.

"글쎄 지금이 어느 때라고! 네가 미쳤니? 지금까지 어디를 갔다 오느냔 말이다."

그 말소리는 어머니다운 애정과 애달픔과 노여움이 한데 엉킨 일종 처참한 음조에 떨리는 그것이었다.

3

어리광으로 어머니의 노기를 풀려고 하하 웃고 시작한 나는 어머니의 이 말소리에 몸을 어떻게 지탱할 수가 없어서 벌떡 일어나 책상에다 머리를 내던지며 주저앉았다.

"남 부끄러운 줄도 어쩌면 그렇게도 모르니? 이 밤중에 어디를 갔다 오느냐 말이다. 네가 지금 몇 살이니? 응 차라리 나를 이 자리에서 당장 죽여나 주든지!"

"가기는 어디를 가요? 연극 연습한다고 그러지 않았어요? 거기 갔었어요!"

나의 이 대답에 어머니는 기가 막힌다는 듯이 입을 벌린 그대로 얼굴이 틀어졌다.

"연극 하는 데라니? 아이고, 이 애 좀 보게. 그곳이 글쎄 네가 갈 데냐! 아무리 상것의 소생이라도 계집애가 그런 데 가는 것을 본 적이 있니? 모이는 자식들이란 모두 제 아비 제 어미는 모른다고 하고 사회니, 지랄이니 하고 쫓아다니는 천하 상놈들만 북적이는데…….”

“어머니 잘못했어요. 남의 말은 하면 무엇해요. 저도 잘 알고 있지 않습니까! 그만 주무세요.”

나는 덮어놓고 어머니를 재우려 했다. 나는 어찌하든지 어머니와는 도시 말다툼하지 않으려 했다. 아무리 설명하고 이해시켜 봐도 점점 어머니의 노기만 더할 뿐인 것을 나는 잘 안다. 이따금 어머니가 심심하실 때 이야기를 하라고 하시면 옛이야기 끝에 “성인(聖人)도 시속을 따르란 말이 있지요.”라고 이야기 꼬리를 멀리 돌려가면서 나의 입장과 행동을 변명도 하고, 될 수 있는 정도까지 어머니를 일깨우려고 애를 쓴다. 그러면 그때는 나에게 감복이나 한 듯이

“너는 어떻게 그런 유식한 것을 다 아느냐.”

하고 엄청나게 감복하시며 기특하고도 귀엽다는 듯이 바라보신다. 그때만은 나도 어머니의 따뜻한 사랑 속에서 숨 쉬는 듯한 행복을 느낀다.

그러나 그것도 잠깐이다. 나면서부터 완고한 옛

도덕과 인습에 푹 싸인 어머니라 그만 씻어 버린 듯이 잊어버리고 다시 자기의 주관으로 들어간다. 그런 까닭에 나는 어머니와는 입씨름은 하지 않는다. 억지로라도 어머니를 누워 재우려고 겨우 책상에서 머리를 들었다.

"아이고, 어머니! 글쎄 그만 주무세요. 정 그렇게 제가 잘못했거든 내일 아침이 또 있지 않아요? 그만 주무세요, 네?"

어머니는 홱 돌아앉아 담배만 자꾸 피우신다. 그 입술은 여전히 노여움에 떨리고 있었다.

"어머니 잘못했어요. 참 잘못했습니다. 잘못한 것을 계속 이리 야단하시면 어떻게 해요. 이제부터 그러지 말라고 하셨으면 그걸로 그만이지, 정말로! 주무세요. 왜 저를 사내자식으로 낳으시지 않으셨어요. 이렇게 잠도 못 주무시고 하실 것이 있었겠습니까?"

억지로 어리광을 피우는 내 눈에는 눈물이 핑 돌았다. 나는 얼른 닦아 감추려 하였으나 차디찬

널빤지 위에서 끝없이 떨고 있을 오빠의 쓰린 생각이 문득 나며 덩달아 솟아오르는 눈물을 걷잡을 수가 없었다.

“어머니! 참 우스워 죽을 뻔했어요. 이 주사 아들이 여자가 되어서 꼭 여자처럼 어떻게 잘하는지 우스워서 뱃살이 곧을 뻔했어요. 모레부터는 돈 받고 연극을 합니다. 그때는 저녁마다 어머니께는 무료로 관람시켜 드리겠습니다. 참 잘해요.”

아무리 나는 애를 써도 어머니의 노기는 풀리지도 않았다. 오히려 점점 노기가 높아가는 것 같았다.

4

어머니 무릎에 손을 걸었다.

“글쎄 왜 이러느냐. 나야 잘 때 되면 어련히 자려고……. 보기 싫다! 내 눈앞에서 없어져라. 계집 아이가 무슨 이유로 남자들과 같이 야단이냐. 이런 기막힐 창피한 꼴이 또 어디 있어.”

어머니가 어디까지든지 늦게 온 나를 이상하게 의심하여 자기 마음대로 기막힌 상상을 하여 가며 나를 더럽게 말하는 것이 말할 수 없이 가슴이 터져 오르나 그래도 이를 바드득바드득 갈면서

"어머니 잡시다!"

하고 떨치는 손을 어미는 다시 당신의 무릎에 걸었다.

"내 팔자가 사나우려니까 천하제일이라고 칭찬이 비 오듯 하던 자식들이……. 아이고, 내 팔자도…… 너 보는데, 다들 좋다, 좋다, 하니 내내 그러는 줄 아니? 제집에 돌아가면 다 너를 흉본단다. 네 오라비도 그렇게 열이 나게들 좇아다니고 어쩌고 하더니 한 번 잡혀간 뒤로는 그만이더구나. 너도 또 앞에선 사람들이 추키어 주다가 네 오라비처럼 감옥에나 보내지겠지, 별 수 있을 줄 아니?"

나는 그만 도로 책상에 엎드렸다. 자신의 편함과 혈육을 사랑하는 것밖에 아무것도 모르고 도덕

과 인습에 사무친 저 어머니의, 자기의 생명 같이 키워 놓은 단 두 오누이로 말미암아 오늘에 받는 그 고통을 생각할 때 나는 가슴이 다시금 찌들하고 쓰라려졌다.

'저 어머니가 무엇을 알리? 차라리 꾸지람이라도 실컷 들어두자.'

하는 가엾은 생각에 죽은 듯이 엎드려 있었다.

방안에 공기가 쌀쌀하게도 움직이더니 납을 녹여 붓듯이 무겁게 가라앉는다.

"이 애, 밥 안 먹겠니?"

어머니의 노기는 한없이 올라가다가도 풀리기도 잘한다. 그것은 마음이 약하신 어머니는 모든 짜증과 괴롬에 문득 속이 상하시다가도 그 속풀이를 하는 곳이 언제든지 얼토당토않은 데 마주치고 만 것을 스스로 깨달으면 곧 눈물로 변해서 사라지고 만다.

언제든지 밤참을 꼭꼭 잡수시는 어머니다. 내가 돌아오기를 기다려 지금까지 잡숫지 않은 모양이다. 나는 새삼스럽게 가슴이 차게 놀랐다. 갑자기 대답을 어떻게 해야 좋을지를 몰랐다.

"안 먹겠어요."

연극 연습을 하던 때는 어느 정도까지 시장함을 느꼈었으나 지금은 모가지까지 무엇이 꼭 찬 것 같았다. 뒤이어

"먹지 않아? 왜 안 먹어!"

어머니는 조금 불쾌한 어조로 다시 권하셨다. 잇따라 숟가락이 놋쇠 그릇에 깨끗하게 마주치는 소리가 났다. 얼마 후에 또다시

"이 애, 밥 먹어라. 네 오라비는 저렇게 떨고 있으련마는 그래도 나는 이렇게, 나는 먹는다. 저 나오는 것은 보고 죽으려고……."

목멘 한숨과 함께 숟가락을 집어 던진다. 나는 지금까지 참았던 울음이 왈칵 치받쳐 전신이 흔들렸다.

이윽고 다시 담배를 넣기 시작하시던 어머니가 지금까지의 것은 모두 잊어버린 것 같은 부드러운

말소리로 다시 권하셨다.

"배고프지! 좀 먹으렴."

나는 감격에 받쳐 다시 가슴 찌르르해졌다. 나 때문에 썩는 속을 오빠를 생각하여 눌러버리고, 오빠를 생각하여 애끊는 장을 그나마 조금 편히 곁에 앉힌 나를 위하여 억제하려는 가슴은, 어머니……! 나는 그 어머니의 가슴을 잘 안다. 그 괴로움을 숨 쉴 때마다 느낀다.

기어이 몸은 일으켜 다만 한 숟가락이라도 먹어 보이고 싶으리만치 내 감정은 서글펐다.

천천히 마루로 나가시는 어머니가 얼마 후에 손에 식혜 한 그릇을 떠 가지고 들어오셔서 내 옆에 갖다 놓으시며

"밥 먹기 싫거든 이거나 좀 먹어라."

나는 가슴이 터져라! 하고 큰소리로 외치고 싶었다.

가엾은 어머니! 가엾은 딸! 담배 한 대를 또 피우고 난 어머니는 허리를 재며 자리로 누우셨다.

내가 이 식혜를 먹지 않으면 어머니 속이 얼마나 아프시랴! 오빠 생각에 넘어가지 않는 음식이라 또 내가 먹지 않을까 해서 일부러 많이 먹는 척하시는 가엾은 어머니께서 얼마나 슬퍼하실까?

나는 한 입에다 그 단술을 죄다 삼켜 버리고 크게 웃어서 어머니를 안심시키고 싶은 감정에 꽉 찼으나 전신은 물과 같이 여물어졌다.

석유(石油)가 닳을까 하여 잔불을 끄고 자리에 누웠다. 이웃집 시계가 새로 한 시를 땡! 쳤다.

어머니가 후— 한숨을 쉬셨다.

아! 어머니! 가엾은 어머니. 어머니의 속을 알지 못하고, 제가 당신을 야속한 어머니로만 여기는 줄 아시고 그다지 괴로워하십니까. 이 몸을 어머니가 말씀하신 그 김 씨네에 바치어 기뻐하는 어머니의 얼굴을 잠시라도 보고 싶을 만치 이 딸의 가슴은 죄송함에 떨고 있습니다. 어떻게 하면 이 세상에서 어머니를 마음 편케 모실 수가 있을까요! 내가 사랑하는 장래 나의 남편 되기를 어머니 모르게 허락한 ××……. 그도 나와 같은 울음을 우는, 불행과 저주에 헤매는 가난한 신세입니다. 그러면 나는 무엇으로 어머니를 편케 할까요! 그러나 나의 어머니여, 나는 어머니가 좋아하시는 김 씨네에게 이 몸을 바치지 않을 것입니다. 또 내일 밤도 빠지지 않고 가야 합니다.

'가엾은 나의 어머니여.'

1926년 시

어린애만 되엿드면

김우진

갈수록 갈수록
고치지 못할 상처에
눈물이 나오는구려.

견디다 못해 울어보오만
이건 또 왜 이리 속속까지
불덩이 든 것처럼 뜨겁습니까.

내가 만일 어린애가 되었더라면
가슴이 아파서 운다고,
어머니가 의사를 부를 테지만

내가 만일 어린애만 되었더라면

속 탄다고 어머니가
냉수라도 갖다줄 테지만.

만일 내가 어린애만 되었더라면
병들더라도
하룻밤만 편히 자고 나면 그만이겠지만.

어린애가 아닌 나이기 때문에
이 상처는
점점 깊어 갑니다그려.

오, 내가 어린애만 되었더라면!

1940년대(추정) 동화

입학시험

최병화

1

경부선 차는 이제 서울을 떠나려고 기적을 길게 울렸습니다. 무거운 차체는 흔들리고 바퀴는 천천히 구르기 시작합니다. 수건을 흔드는 사람에, 모자를 흔드는 사람에 또는 손을 잡은 채 차를 따라가는 사람에 그들은 모두 이별하기를 서러워하는 애틋한 빛이 넘쳐흘렀습니다. 이같이 사람의 따듯한 정을 찾아볼 수 있는 곳에서 두 소년의 이별은 더욱 아름다웠고 애달팠습니다.

“종득이! 너무 낙심 말고 잘 내려가게. 그리고 선생님과 동리 어른들께도 문안 여쭈어주게.”

“재룡이! 나는 무슨 낯으로 선생님과 동리 어른을 대할는지 지금은 모든 것이 귀찮고 부끄러워만

지네.”

“아닐세. 그것은 자네가 너무 좁게만 생각하는 까닭일세. 실패는 성공의 어머니라는 것을 왜 못 깨닫나. 이번에는 불행히 실패했지만, 내년이 있지 않은가. 일 년 동안 준비를 착실히 하였다가 내년 봄을 우리 기다려보세.”

“자! 그러면 객지에서 공부 잘하고 몸 성히 잘 있게.”

“종득이! 그러면 이별일세그려. 우리 여름방학에 반가이 만나세.”

이렇게 주고받고 하는 두 소년의 말소리는 떨렸으며 그들의 눈에는 눈물이 맺혔습니다.

재룡이는 차가 정거장 구내를 멀리 떠나가기까지 돌아갈 줄 모르고 우두커니 서서 있었습니다. 복작복작 뒤끓던 플랫폼도 이제는 물 지나간 뒤같이 조용해졌습니다. 재룡이는 힘이 하나도 없이 구름다리를 건너 밖으로 나왔습니다.

2

종득이와 재룡이는 이 봄에 ××보통학교를 함께 졸업하였습니다. 제1회 졸업생인 만큼, 선생님과 학부형께서는 34명 졸업생에게 많은 촉망과 기대를 보이고 계셨습니다. 그러나 이 고을은 작년 그 몹쓸 가뭄이 가장 심한 곳으로 이 고을 사람의 생활은 말 못 되어 갔으며 더욱이 춘궁(春窮)을 당하여 양식이 떨어져서 풀뿌리와 나무껍질로 연명하다시피 하는 곳이라 졸업생들은 졸업하자마자 농사를 보살피는 사람, 군청과 면소로 급사가 되어 가는 사람, …… 이렇게 모두 돈벌이할 곳으로 가고 상급학교 지망자는 5, 6명에 불과하였습니다.

종득이와 재룡이의 집안은 이 고을에서 남부럽지 않게 살아서 서울로 입학시험을 보러 갈 행복을 가졌습니다. 종득이와 재룡이가 서울로 가는 날 아침 담임 선생님과 동리 어른들께서는 동리 밖까지 따라 나오셔서 꼭 입학하고 오라고 신신당

부하였습니다. 이 고을에 보통학교가 창설된 후로 제1회 졸업생이고 아울러 처음 외지로 진출하는 유학생이므로 두 소년의 책임은 무거웠습니다.

3

조선의 수도 서울에 온 두 소년은 새 희망에 뛰놀았습니다. 눈에 보이는 것, 귀에 들리는 것이 번화하고 진기하였지만 그들의 머릿속에는 '입학시험'이란 커다란 짐이 그들을 내리눌러 다른 것을 생각하게 할 여지를 주지 아니했습니다.

종득이와 재룡이가 지원한 ××고등보통학교는 입학 지원자 9백 7십여 명, 5대 2라는 지원율을 가졌습니다. 이틀 동안 시험지옥을 지난 결과는 두 사람을 환희와 실망의 두 길로 갈라놓았습니다.

- 재룡이는 합격.

- 종득이는 낙제.

두 소년은 기쁜 중에 설움. 설움 중에 기쁨이

있었습니다. 종득이가 비창한 낯빛을 띠고 서울을 떠나던 날, 재룡이는 홀로 여관에 돌아와서 울음이 나오는 것을 억지로 참았습니다. 그리고 비관 중에 싸여 있는 동무 종득이를 위하여 얼른 내년 봄이 왔으면 하였습니다.

1927년 수필
여학생과 금시계

양건식

누구나 전차를 타 본 이는 내 말을 수긍할 것이다.

요새 여학생들은 빈자리를 두고도 전차 벤치에 걸터앉기를 싫어한다.

그 이유는 곱게 다려 입은 스커트가 무참히 구길 염려도 있겠지마는, 그보다도 한층 더 중요한 이유가 있으니 왈, 눈처럼 흰 팔뚝에 동인 18K 손목시계 때문이다. 18K 손목시계라니…… 별의별 짓을 다 하여 사 가진 금시계를 소매 속에 감추어 두기가 싫은 까닭이다. 그러면 어떻게 그것을 남의 눈에 보여줄 수가 있을까? 그러자면 한 가로이 편안하게 앉아 있어서는 안 된다. 서 있어야 한다. 서서도 팔뚝은 걷어붙이고 셀룰로이드(celluloid) 재질의 버스 손잡이를 붙잡고 있어야 한다. 동대문에서부터 신용산 종점까지 가는 동안에도 금시계 찬 팔은 다른 손으로 옮겨 잡지도 말고, 그대로 참고 팔이 아파도 참고 배겨야 한다…….

이리 몸을 괴롭게 하는 금시계의 유무는 여학생의 자격을 말하리만치 중요한 지위에 있다. 즉 금시계가 없이는 경성(서울)의 여학생으로서 자격이 없는 듯하다. 이렇게 말하면 독자는 기괴하게 생각할 것이다. 그러나 이렇게 말하는 나는 이를 기괴하게 생각하지 아니하고, 그저 한 가지 일어나고 있는 사실로 본 까닭이다. 그러면 사실은 무엇이냐?

나는 열흘이나 작은 병을 앓느라 도무지 외출을 아니 하다가 어제 어느 친구의 엽서를 받고 오늘 그 친구네 집 방문차 서대문 우편국 앞에서 전차를 탔다. 그래, 승강대를 올라서 차 안으로 들어가니 승객이 7~8인에 그중 여학생이 하나 있어 나를 보더니, 눈인사한다. 그래, 나는 그 여학생에게 답인사하고 나자, 그 순간 속으로 '응?'하고 다시 한번 그 팔을 보았다. 그 팔에는 금시계가 매여 있었다.

여러분! 이 여학생의 그 금시계의 출처를 아시오? 가만히 계시오, 내 말하지요!

우리 이웃 구석 한 집에 남들이 부르기를 '김 오위장(吾衛將, 정3품에 해당하는 무관직)'이라는 나이 한 오십여 세 되시는 가쾌(家儈, 중개사)가 있다. 그 아들은 어느 양화점에 직공으로 다니며 딸은 시내 모 여학교에 다니는데 이 위에 말한 그 여학생이 즉 그 딸이다. 그 집의 생활은 김 오위장이 복덕방에서 버는 매월 몇 푼의 잔돈과 아들의 월급 30여 원으로 겨우 지내가는 터이니, 넉넉지 못한 것은 말 안 해도 알 수 있다. 이렇게만 말을 하면 아무 일 없이 벌어서 잘 지내는 집 같지마는 아닌 게 아니라 잘 지내기는 잘 지내는 집이다. 그런데 3~4주일 전부터 그 여학생이 학교를 며칠 동안 가지 아니하고 있더니 하루는 그 집에서 굉장하게 야단이 나서 그 김 오위장의 마누라가 그 여학생을 데리고 우리 집으로 피신을 왔다.

나중에 들으니 그 여학생이 몇 달 전부터 제 부친과 오라비에게는 감히 말을 못 하고 제 어머니께 자기네 학교의 동급생들은 금시계를 다 가졌으니 저도 사달라고 조르며 저의 어머니는 졸리다 못하여 아들의 월급을 잔뜩 믿고 빚 몇 원을 얻어 김오위장이 모르게 시계를 사 줬는데, 일이 공교롭게도 말썽이어서 아들은 하필 월급이 반만 들어와 그걸로 술 받아먹고, 또 김 오위장은 딸의 시계를 비로소 발견하고 어떤 놈이 사 줬느냐고 딸을 닦달하니까 그만 사실을 자백하여 그렇게 야단이 난 것인데, 이 때문에 그 금시계는 하마터면 부서질 뻔한 것을 어찌 어찌하여 그냥 가지게 된 것이요, 이 금시계 까닭으로 그 집에 생활이 이즈막(최근 들어) 대단히 어려워졌다 한다.

여러분!

여학생의 금시계는 이러한 것도 있지마는 이 금시계를 안 가지고는 여학생의 자격이 없다고 하게 되기까지 일어났을 사실들을 한번 생각하여 주시오.

1943년 시

고담책(古談冊)

권한

삼간 초가집 들창 속
까물거리는 등잔 밑에
이야기책 읽는 소리가 들린다.

언문 구운몽(九雲夢) 한가운데
성진(聖眞)이가 팔선녀(八仙女) 데리고
구름 속에서 노는 장면이었다.

1950년대(추정) 편지
사랑하는 아내에게

박인환

그날 무사히 도착하였습니다. 그리고, 지금까지 아무 변동 없이 지내고 있습니다.

……

(남아 있지 않음)

……

세화가 아프다니 걱정입니다. 우선 음식 조심시켜야 합니다. 당신의 책임은 어린애들을 잘 기르는 것입니다. 아프다는 세화가 불쌍합니다. 그 귀여운 얼굴로 몸이 아파서 찡얼찡얼하며 "아빠, 아빠"하고 나를 부르고 있을 것이니 더욱 귀엽고, 애절합니다. 세화가 빨리 건강해지도록 오늘 저녁 자기 전에 하나님에게 기도 올리겠습니다. 세화보고 전해주시오.

세화야, 아빠는 네가 보고 싶다. 참으로 귀여운 세화야, 아빠는 네 곁에 있어야 할 것인데, 가족이 무엇인지 나보다도 우리 가족을 위해 지금 너와 떨어져 있단다. 세화야, 세형이 오빠하고 즐겁게 놀도록 빨리 회복해라. 할머니가 너무 먹을 것을 많이 주더라도 먹지 말고, 부디 잘, 네 몸조심해라. 아빠는 네가 몹시 아프다는 말을 듣고 손에 아무 맥이 없다. 그리고, 눈물이 난단다. 너, 내 사랑하는 딸 세화야, 빨리 나아라. 그리고, 어머니 걱정시키지 말아라. 세형이하고 잘 놀아라. 빨리 내가 집에 올 것이니 우리 다 함께 즐겁게 만나자.

세화 생각을 하니 또한 세형이 모습이 오고 갑니다. 그놈은 요즘 무엇을 하고 있습니까. 길가에 나가지 못하게 하시고, 직접 전해 주시오.

세형, 길가에 나가지 말고 집에서 엄마하고 있어라. 응.

…… (이하 남아 있지 않음)

1950년대 추정

세월이 가면

박인환

지금 그 사람의 이름은 잊었지만
그의 눈동자 입술은
내 가슴에 있어.

바람이 불고
비가 올 때도
나는 저 유리창 밖
가로등 그늘의 밤을 잊지 못하지.

사랑은 가고
과거는 남는 것.
여름날의 호숫가
가을의 공원

그 벤치 위에

나뭇잎은 떨어지고

나뭇잎은 흙이 되고

나뭇잎에 덮여서

우리들 사랑이 사라진다 해도

지금 그 사람 이름은 잊었지만

그의 눈동자 입술은

내 가슴에 있어

내 서늘한 가슴에 있건만.

1926년 시

떠날 때의 님의 얼굴

한용운

꽃은 떨어지는 향기가 아름답습니다.

해는 지는 빛이 곱습니다.

노래는 목 맺힌 가락이 묘합니다.

님은 떠날 때의 얼굴이 더욱 어여쁩니다.

떠나신 뒤에 나의 환상(幻想)의 눈에 비치는 님의 얼굴은 눈물이 없는 눈으로는 바로 볼 수가 없을 만치 어여쁠 것입니다.

님의 떠날 때의 어여쁜 얼굴을 나의 눈에 새기겠습니다.

님의 얼굴은 나를 울리기에는 너무도 야속한 듯하지마는, 님을 사랑하기 위하여는 나의 마음을 즐겁게 할 수가 없습니다.

만일 그 어여쁜 얼굴이 영원(永遠)히 나의 눈을 떠난다면,

그때의 슬픔은 우는 것보다도 아프겠습니다.

1930년 수필
내가 여학생이라면

방정환

전에 한 번 '내가 중학생이면' 하고 쓴 것이 있었으니, 이번에는 '내가 여학생(女學生)이면' 하고 잠깐 생각해 보기로 하겠나이다.

내가 여학생이면 첫째, 애를 써서 우등하지 않겠습니다. 밤새움을 안 하고도, 안타깝게 애를 쓰지 않고도 우등을 할 수 있으면 굳이 애를 써서 우등을 일부러 피할 까닭은 물론 없으나, 억지로 우등을 꼭 하겠다고 학교 책 읽기에만 몸을 무리해서 내달리지 않겠다는 말입니다.

대단히 말하기 거북하지마는 사실대로 말하면, 이 세상에 살아가는 데 필요한 지식은 학교에서 책으로 배우는 것 밖에 더 많이 있는 까닭입니다. 더구나 오늘날 조선에서의 실제 형편으로 보면 학교에서 배우는 그것만 잘 외어 가졌다 하여 그가 반드시 실생활을 우수하게 해 나갈 자격자가 되지 못합니다.

그러니 자기 일신이 늙어 죽는 날까지 학교 울타리 안에서만 학생으로서만 살다가 죽을 사람이 아닌 이상, 학교에서만 우등하는 것보다는 실생활에 우등하도록 공부하는 편이 유익하고 영리하겠다는 것입니다.

자기의 정력이 열 냥어치라 하면, 학교 공부에 일곱 냥어치를 쓰고 적어도, 적게 잡아도 석 냥어치는 따로 떼어다 학교에서 못 배우는 좋은 산 지식을 구하는 데 쓰겠습니다. 몇 가지 예를 들면, 신문이나 잡지를 읽어서 실제 사회, 실제 생활의 살아 있는 기록을 읽고 그 호흡에 젖어 가는 것도 큰 공부요, 강연회나 도서관에 가는 것도 큰 공부요, 좋은 선진들, 선배들을 찾아가거나 좋은 회합에 들어 좋은 정신을 길러 가는 것도 큰 공부입니다.

그러니 이런 여러 가지를 도무지 못 본 체하여서까지 억지로 어떻게든 학교에서 우등하겠다는 식으로는 굴지 않겠다는 말입니다. 결국 줄여서 말하면, 불과 3, 4년 일인 학교 공부에는 보통 급제로만 나아가더라도 정직한 평생의 일인 실생활에 우등하도록 하겠다는 것입니다.

맺음말

「무얼 먹고 사나」

사람은 자신이 어디에 속해 있는지, 진정한 자신이 어디에 속하는 존재인지 아는 것에서 삶을 성찰해볼 수 있다고 생각합니다. 윤동주의 이 시는 독자가 그런 사색을 너무 무겁지는 않은 수준으로 해 볼 수 있게 해 줍니다.

「나의 생활 태도 - 남의 척도로는 살기 싫다」

이 글을 읽으며, 내가 나중에 삶을 정리하는 시기에 이르렀을 때 어떤 이야기를, 그 시기에 이르기 전까지 털어놓지 못하고 있었을 이야기 중 어떤 이야기를 풀어내고 있을지 가만히 생각해 본다면 의미 있을 것 같습니다.

「깊고 깊은 언약」

바쁜 또는 고된 일상을 거듭하다 보면, 어느 순

간 잊어버리는 것들이 생기게 마련입니다. 내가 잊고 있었던 것은 무엇일지 되짚어 볼 수 있게 해준 시였습니다. 여러분 주위의 어른들 상당수는 인생의 황혼기에 '너무 멀리 와 버렸다….'라는 생각에 침울해지곤 합니다. 그리고 그런 정서를 담은 다양한 문학 작품, 영화 등이 동서고금을 막론하고 명작으로 불리고 있기도 하고요. 잊지 않아야 할 것들을 잊지 않는 삶, 잠깐 잊었더라도 이내 되찾는 삶을 희망합니다.

「나의 어머니」

비슷한 결의 디테일은 다른 경험을 저마다 이미 했거나 앞으로 할 것으로 생각합니다. 이 글이 지금으로부터 약 100년 전에 쓰인 것임에도 말입니다. 대상은 꼭 어머니가 아닐 수도 있습니다.

「어린애만 되엿드면」

인생의 다음 장은, 그 시작이 누군가에는 조금

더딜 수는 있지만, 그 누구도 다음 장의 시작을 한없이 미룰 수는 없습니다. 그리고 인생의 다음 장이 시작됨과 동시에 이전 스테이지에는 다시는 설 수 없습니다. 이는 시간성을 띠는 존재인 인간의 특성이라고 생각합니다. 어른이 된다는 것이 완전히 다른 사람, 초인, 초월자가 되는 것이 아님을 이 시는 환기해 줍니다. 어른도 결국 어른인 척하는 어린이일 뿐이라는, 인터넷에 떠도는 유명한 구절이 떠오르는 작품이었습니다.」

「입학시험」

현시대에도 존재하는 고입, 대입의 순간을 떠올려도 좋고, 인생을 살면서 마주하는 여러 분기점을 떠올려도 좋습니다. 저도 살면서 여러 사람과 인연을 맺어 왔고, 그중에는 지금도 활성화 상태인 것도 있지만 지금은 비활성화 상태가 된 것도 있습니다. '휴화산'이 아니라 아예 '사화산'인 것도 많고요. 삶이 쌓인다는 것은 그런 면이 있습니다. 여러분은 얼마나 많은 분기점에서 갈라져 왔나요? “Don′t be sad because it′s over, be happy because it happened.”

「여학생과 금시계」

나 또는 우리, 우리 세대가 특별하다는 생각이 들 때면, 그래서 나도 모르게 자기중심적인 생각에 스스로 가둬질 때면, 그런 생각을 깨기 위한 방아쇠가 필요합니다. 이 글도 그런 방아쇠가 되어줄 수 있어 보입니다.

「고담책(古談冊)」

삶은 완성되기 위해서 존재하는 것이 아니라, 향유하기 위해서 존재하는 것이 아닐까요. 삶이 완성되기 위해 존재하는 것이라면 완성의 순간 외 모든 시간은 미완성이라는 이유로 깡그리 하잘것없어져 버립니다. 하지만 향유하기 위해 존재하는 것이라면 향유하는 매 순간이 뭉클한 것일 테죠.

삶이 힘들 때는, 향유해서 뭉클했던 순간들을 떠올려 보세요. 그리고 그런 순간을 지금도 만들어 보기 바랍니다.

「사랑하는 아내에게」

전쟁통에 아내 그리고 어린 아들, 딸과 생이별한 가장의 글입니다. 앞서 향유하는 뭉클한 순간들을 언급했습니다만, 삶이 늘 그럴 수는 없을 겁니다. 설령 그렇지 않은 순간에도 내가 더 이상 내가 아니게 되어버리지 않도록, 소중함과 애틋함을 품으며 주어진 순간을 이겨낼 수 있어야 하겠다고 마음을 다져봅니다.

「세월이 가면」

간혹 선명히 기억나지 않지만, 귀중했던 순간들이 있습니다. 선명하지 않음에 좌절하고만 있지 말고, 그 귀중했던 순간을 현재 떠올리고 느낄 수 있는 수준에서라도 남겨 놓으면 좋습니다. 글로든 그림으로든 그 무엇으로든.

「떠날 때의 님의 얼굴」

감정에 매몰되어서는 안 되겠지만 감정을 부정하지 않는 것도 중요합니다. 인간은 기계가 아닌 까닭입니다. 삶은 충만해야 하는 것이지 빼곡해야 하는 것은 아니므로, 감정 역시 삶에서 몹시 중요합니다.

「내가 여학생이라면」

여러분의 삶은 여러분에게 일인칭입니다. 3인칭으로 게임 속 캐릭터를 조종하는 게이머처럼 여러분의 삶을 인식하지 않길 바랍니다. 특히 한국의 게이머들이 본인 캐릭터를 조작하는 것처럼 여러분의 삶을 가져가는 것은 부적절합니다. 삶에서 '그렇게까지'가 필요한 순간보다 필요하지 않은 순간이 훨씬 많음을 생각하고 삶을 잘 조절해 나아가면 만족할 수 있습니다. <끝>

사랑하는 아내, 아들, 부모님

그리고 형에게

이 책을 바칩니다.